U0100910

果仁小镇

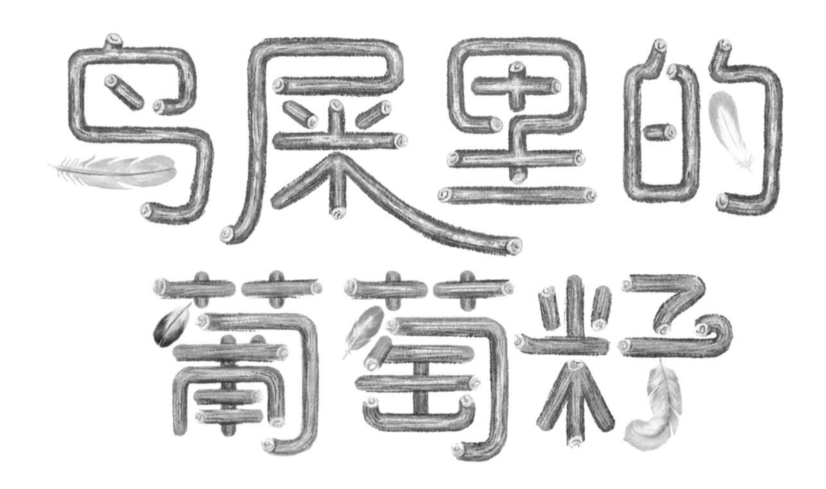

张合军　著
[乌克兰] 尼古拉 · 洛马金
[乌克兰] 柳德米拉 · 奥西波娃　绘

· 桂林 ·

出版统筹：施东毅
品牌总监：耿　磊
选题策划：陈显英　霍　芳
特约策划：闫晓玫
责任编辑：李茂军
助理编辑：霍　芳
美术编辑：卜翠红
营销编辑：杜文心　钟小文
责任技编：李春林
特别鸣谢：果仁小镇（北京）科技有限公司

图书在版编目（CIP）数据

鸟屎里的葡萄籽 / 张合军著；（乌克兰）尼古拉·洛马金，（乌克兰）柳德米拉·奥西波娃绘. —桂林：广西师范大学出版社，2019.1
（果仁小镇）
ISBN 978-7-5598-1331-2

Ⅰ. ①鸟… Ⅱ. ①张…②尼…③柳… Ⅲ. ①儿童故事－图画故事－中国－当代 Ⅳ. ①I287.8

中国版本图书馆 CIP 数据核字（2018）第 243046 号

广西师范大学出版社出版发行
（广西桂林市五里店路 9 号　邮政编码：541004
网址：http://www.bbtpress.com）
出版人：张艺兵
全国新华书店经销
北京尚唐印刷包装有限公司印刷
（北京市顺义区牛栏山镇腾仁路 11 号　邮政编码：101399）
开本：889 mm × 1 060 mm　1/16
印张：2.5　　　字数：60 千字
2019 年 1 月第 1 版　　2019 年 1 月第 1 次印刷
定价：45.00 元

致桃子、满满、曼曼、仁宝、多多，

你们在春光里开出的小花让人着迷……

这本书是儿童的完美礼物，是出乎我们意料的艺术成就，中乌两国素昧平生的艺术家为读者呈现出的新的童话世界令人惊叹。父母给孩子读这样一本魔法书，将向他们展示世界的多样性和美好愿望的力量。

——［乌克兰］尼古拉·洛马金

在这个充满爱与渴望的世界，为了梦想而面对挑战，希望所有的孩子都能幸福，祝愿所有孩子开心的愿望都能实现。

——［乌克兰］柳德米拉·奥西波娃

果仁小镇入口
Welcome

春天来了，果仁们开始了一年之中最重要的事情——**盖房子**。开心果柯拉喜欢住在高高的房子里，这样她可以每天第一个看到日出。而来自秘鲁的花生卡洛斯喜欢住在凉爽的地下，蚯蚓盖尔经常到他的房子里做客。

“这是一件非常有趣的事情，因为你们都是**天生的建筑师**。”凡尔纳先生鼓励大家说，“只要记住一点，你们在一样的环境里吸收一样的阳光和雨水，接下来就要看自己的了！只要能抵抗风雨和病虫的侵扰，让自己破土发芽，早晚有一天会开花结果的！”

有了一起为非洲小朋友下糖果雨的经历，小草莓加西亚对玉米冈萨雷斯的好感与日俱增。而冈萨雷斯也经常向蚯蚓盖尔打听加西亚的情况，蚯蚓盖尔愉快地为他们传递书信。盖尔穿梭往返于两者之间，草莓家和玉米家被彻底打通，于是……

夏天到来的时候，加西亚和冈萨雷斯的漂亮女儿——**草莓玉米夏洛特**，在新房子里出生了。

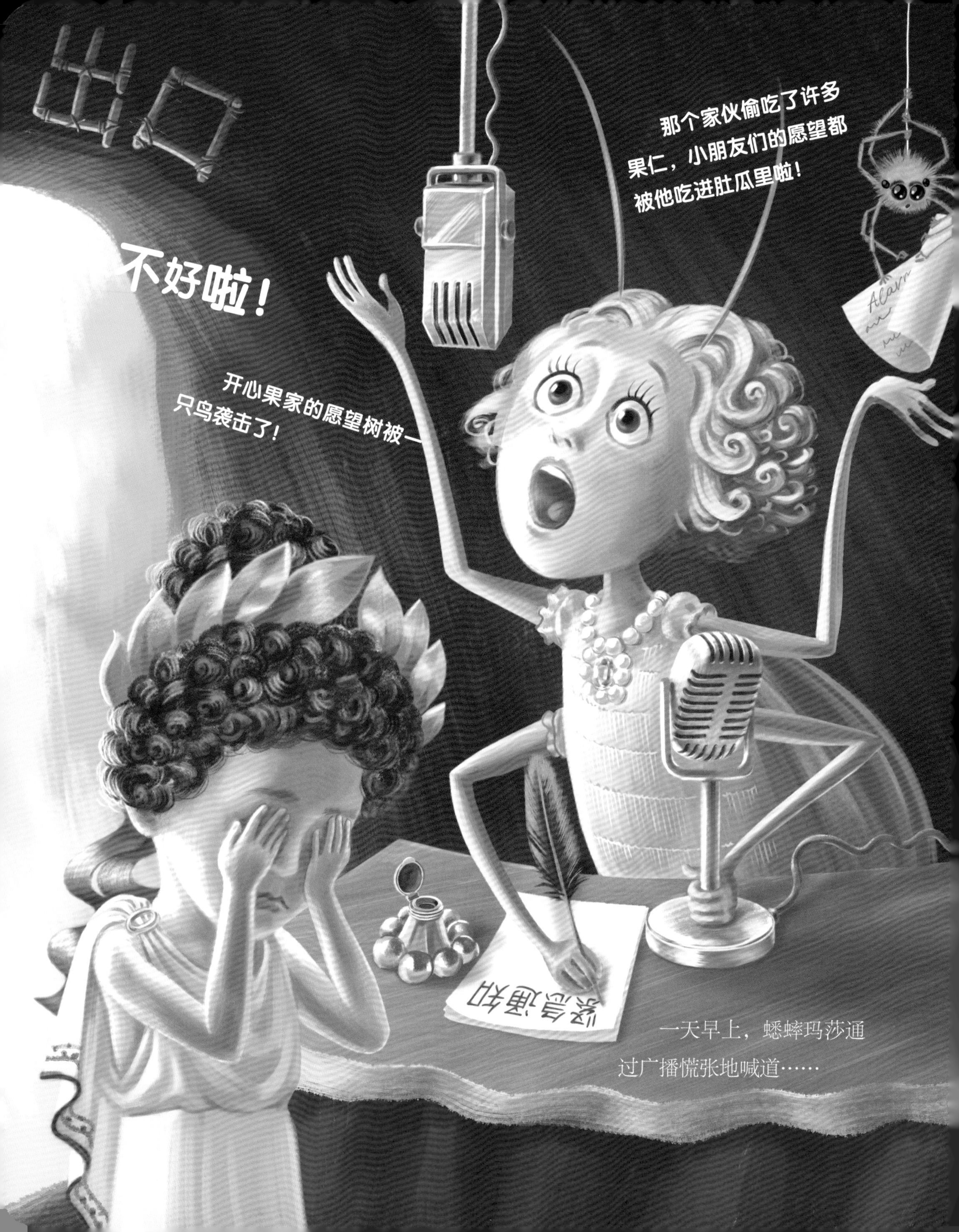

出口

不好啦！

开心果家的愿望树被一只鸟袭击了！

那个家伙偷吃了许多果仁，小朋友们的愿望都被他吃进肚瓜里啦！

一天早上，蟋蟀玛莎通过广播慌张地喊道……

“啊……”大家聚集在一起正不知所措，橙子阿阳跑过来，“不好了！几只坏田鼠闯进花生卡洛斯的家里，绑架了许多花生！”

“真是祸不单行！”小草莓加西亚担心地说。

“可恶！我们这么小，怎样才能把那些坏家伙赶跑啊？”来自墨西哥的小辣椒萨尔玛急得满脸通红。

“赶跑田鼠和鸟？想想田鼠的**尖牙齿**和坏鸟的**弯钩嘴**吧！
我看咱们还是赶快搬家吧，免得被他们当成大餐了！”
南瓜皮蒂的话让大家更紧张了，几个小果仁吓得哇哇大哭。

“我们害怕他们，但一定也有让他们害怕的生物！”草莓玉米夏洛特的话让大家安静了下来，“咱们一起想办法，一定可以赶跑这些坏家伙，保护我们的小镇！”

“对啦！田鼠最怕蛇！”小辣椒萨尔玛迫不及待地说，“但是，谁能请来一条蛇帮我们呢？”

“或许……我们并不需要一条真正的蛇。”夏洛特神秘地眨了眨大眼睛。

玉米冈萨雷斯立刻明白了女儿的想法：“夏洛特说得对，我们可以做一条蛇！等等，让我想想，就用去年化装舞会的道具怎么样，给坏田鼠们来一场**特别的‘表演’！**”

“至于那只坏鸟，我想我们需要一个**巧妙的陷阱**。”夏洛特看着南瓜皮蒂说，“这次，轮到南瓜家族登场了。”

紧张的商量过后，大家分头去准备。

大家搬来了去年化装舞会用的道具，橙子阿阳照着蚯蚓盖尔的样子在纸上**画大蛇的图案**，小草莓加西亚飞快地缝制着蛇的“**外衣**”，卡洛斯和其他花生认真地练习“**蛇舞**”。

而另一边，南瓜大块头、开心果柯拉和草莓玉米夏洛特也在紧张地准备着捕鸟**“陷阱”**。

夏洛特拿着尺子把南瓜大块头从头到脚量了又量，然后在地上写写画画，精确地计算大块头嘴巴张开的角度，开始一次又一次地试验和练习。

一切准备就绪。“猎手”玉米冈萨雷斯计算好陷阱到草丛的距离，然后用木棍撑起大块头的嘴巴，躲进了草丛里，等待鸟的到来……

这天夜里，田鼠们又在花生卡洛斯家周围转悠。

“嘿嘿，又到了吃夜宵的时间！”

田鼠老二吞着口水说：“看呐，花生们都排好队等着咱们吃呢！”

“我们吃的是跑得慢的花生，谁叫他们不够强壮，弱肉强食是大自然中最基础的法则！”田鼠首领乔伊满不在乎地说，“在猫头鹰扑向我们的那一刻，跑得慢的那只田鼠也一样会被吃掉！”

正在田鼠们讨论的时候，草丛里突然钻出一条——

大 花 蛇！

这条蛇长着奇怪的眼睛和大嘴巴，长长的尾巴五颜六色，田鼠们从来没见过这么可怕的蛇！

刚才还神气十足的田鼠首领乔伊现在却跑得最快！而田鼠老三更没见过这场面，已经被吓呆了。这些田鼠夹着尾巴，打着滚儿，一口气逃进山崖的洞里。

那只鸟就没有田鼠那么幸运了。
这天傍晚，他又来到开心果树上转悠，
却发现没有一颗开心果在家里。
正纳闷呢，一低头，看见几颗开心果在南瓜嘴巴里面跳舞。

“躲在那儿也逃不过我的火眼金睛！”说着他一个俯冲飞进了南瓜大块头的嘴里，张开弯钩一样的尖嘴。

鸟刚飞进大块头的嘴里，几颗开心果跳了出来，躲在草丛里的“猎手”玉米冈萨雷斯用力一拉南瓜秧……

支撑大块头嘴巴的木棍被拉倒，大块头马上变成了一个捕鸟器。飞鸟被牢牢地扣在里面，他用力撞了几下想逃出去，却被撞得满眼金星。

大块头“**捕鸟器**”被这只飞鸟撞得又痒又痛，但他丝毫没有放松，紧紧地闭着嘴巴。

“**好黑呀！快放我出去！我要妈妈……呜呜……**”这只鸟竟大哭起来。

阿——阿嚏！

南瓜大块头打了个大大的喷嚏，把浑身湿淋淋的飞鸟喷了出来，直接落入提前预备好的大网里。

“**不许动！**”夏洛特镇定地说，“如果不想吃点苦头——比如喝辣椒水，就老实交代，**你是谁**？”

“我交代！”飞鸟看到小辣椒萨尔玛尖刀似的下巴彻底投降了。“我是一只来自法国的鹦鹉，名叫阿尔蒂尔。以前主人最喜欢听我唱歌，自从留声机被发明以后，主人就把我赶了出来。我飞了三天三夜，路上只吃了几颗葡萄，快饿晕时才偷吃的开心果。”鹦鹉既委屈又无力地说。

大家正在讨论，这时，凡尔纳先生赶来了，他刚要说话，却发现鹦鹉阿尔蒂尔的眼神有点儿不对劲。只听“噗嗤”一声，鹦鹉阿尔蒂尔拉了个臭臭，接着，从鸟屎里竟然蹦出了一颗葡萄籽！

葡萄籽抱怨说：“哦……大家好，我是来自法国的葡萄籽**玛蒂尔达**，睡觉的时候被这只馋鸟吃到肚子里，直到刚才听到有人说话我才顺着他的肠道滑了出来。”

凡尔纳先生一见到葡萄籽，开心得大笑起来：“你来得太及时了，我亲爱的葡萄籽玛蒂尔达！有了你，我总算有办法喝到我最爱的法国葡萄酒啦！”

“**欢迎来到果仁小镇！**”这突如其来的变化使果仁们又多了一位同伴，大家开心得不得了。

草莓玉米夏洛特率领大家用智慧化解了这场危机，花生卡洛斯和开心果柯拉为了表达感激之情，一起为她制作了一张全世界独一无二的**果壳床**！

草莓玉米夏洛特可喜欢这张床了，每天晚上看过星星后，她都会早早地穿着漂亮的睡衣钻进果壳床的被窝里。

就这样，鹦鹉阿尔蒂尔成了凡尔纳先生的助手，每天负责在果仁小镇里巡逻。葡萄籽玛蒂尔达则住进了凡尔纳先生卧室的花盆里被精心呵护着。

凡尔纳先生每天都要做的重要事情，竟然是拿着放大镜搜寻鹦鹉的臭臭，他想再多找出几颗葡萄籽！

Seeds' towN

果仁小镇 档案

草莓玉米夏洛特

角色介绍

果仁小镇的女一号，是玉米冈萨雷斯和小草莓加西亚心爱的宝贝女儿，长相迷人，却有假小子的性格。她继承了爸爸妈妈所有的优点：冷静、机灵、领悟力超强。她逐渐成长，率领果仁小镇的居民用智慧化解了一次次危机。

小朋友，你有一条智慧链接，请查收……

大家好，我是夏洛特！传说中的草莓玉米就是我啦。我是一种袖珍型彩色观赏玉米，但绝不是转基因玉米，而是普通玉米的更新品种，因为酷似草莓而得名。我的爸爸妈妈不仅遗传给了我他们所有的优点，还给了我所有的爱，更重要的是，他们放手让我去尝试很多新鲜事物，使我学会处理问题和做决定。我想知道，你们的爸爸妈妈也是这样的吗？

角色介绍

鹦鹉阿尔蒂尔

唱歌非常好听，却因为留声机的发明而被主人赶出家门。来到果仁小镇后成了凡尔纳先生的助手与好朋友，总是能激发凡尔纳先生的灵感。他有一张夸张的大嘴巴，古灵精怪，说话不多，但常常语出惊人。

小朋友，你有一条智慧链接，请查收……

善变的人类，你们好！我是鹦鹉阿尔蒂尔，典型的攀禽，抓握能力很强。我的喙强劲有力，可以食用坚果。我因羽毛美丽鲜艳，又擅长学人说话，所以被人们欣赏和钟爱。小朋友，我是一只被主人遗弃的不幸的鸟，又很幸运遇到了果仁小镇的居民，你的家里养宠物吗？希望你不要做遗弃小动物的事情，因为被遗弃以后我们会非常伤心。

小辣椒萨尔玛

角色介绍

脾气火辣，性格豪爽，乐于助人，一身牛仔打扮让萨尔玛十分帅气。她用辣椒粉发明了各种防身“武器”，在遇到危机的时候用勇敢和智慧保护着果仁小镇。

小朋友，你有一条智慧链接，请查收……

你好，小孩儿，我是被称作“辣中之王”的小辣椒萨尔玛。要是有男孩子敢叫我“辣妹”，我一定和他摔一跤让他尝尝厉害。如果不幸遇到坏人，我会保持镇定和思考，使用一切可以脱险的方法进行自救，不放弃一丝希望，看准机会，给坏人“辣辣的”一击。辣椒除了“辣”还富含营养，具有开胃、消食、驱寒、促进血液循环等多种功效呢。

角色介绍

开心果柯拉

美丽、温柔、热心肠，总是快乐地帮助别人。柯拉有一种神奇的能力，地球上每个小朋友许的愿望，都会在她所在的开心果树上结出一颗果实。

小朋友，你有一条智慧链接，请查收……

大家好，我是开心果柯拉。我的营养价值很高，在古代甚至被称作“仙果”！说到梦想，小朋友，你知道什么是梦想吗？我来告诉你，你可以有各种伟大或渺小、普通或奇怪的梦想，只是不要把“财富”当作自己的梦想。在你纯真的心里，那些最真实、最不受外界影响的渴望，才是你真正的梦想。当你用心追求自己真正的梦想时，果仁小镇的居民就会来帮助你！

致谢

本书中，果，即因果，是自然界的规律；仁，即仁爱，是人完成生命旅程的至高境界。

果仁，指那些明理、充满梦想、仁爱、勇敢的种子。

衷心感谢沈鹏先生和袁熙坤先生对我的启迪和支持，以及所有为本书的出版提供帮助的朋友！

特别感谢我的爱人晓玫在本书长达三年多的创作时间里的倾心投入，祝愿我们用心播种的这颗种子，为启发更多儿童的想象力和爱心发挥作用。

因仁而果——果仁小镇之歌

词／张合军

果仁什么也不怕
果仁谁都不欺负
果仁知道世界怎样运转
大自然万物皆相连
联通的密码那就是爱
蝌蚪变成青蛙
凡事慢慢去干
一切有迹可循
道理从没有变

果仁什么也不怕
果仁谁都不欺负
这是全宇宙永恒的智慧
想在秋天结甚果实
就在春天种下什么种子
宝藏遍布心田
探索还是占有
世界每天在变
道理从没有变